Planeta Alce

Sérgio Vale

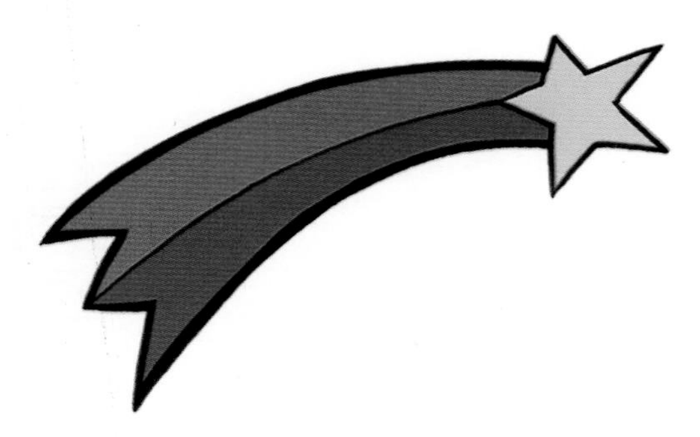

"É com grande satisfação que a Cristália Produtos Químicos Farmacêuticos promove a distribuição da presente obra, pois ela traduz em palavras os valores que há muito cultivamos.

Além disso, acreditamos que a pureza das crianças constitua terreno fértil para o amadurecimento de virtudes, traçando o caminho para um mundo melhor.

Este nosso compromisso e apoio exigem um esforço contínuo de todos nós; e por isso deve ser assumido com agilidade, objetividade e transparência. Afinal, a prática da excelência e a difusão de valores e princípios de ética e conservação de meio ambiente são meios de atingirmos as nossas metas em um mundo em constante transformação."

"O futuro pertence àqueles que
acreditam na beleza
de seus sonhos."

Eleanor Roosevelt

"Nada a acrescentar."

Alce

K O M Σ D I

Dados para Catalogação

texto: Vale, Sérgio
ilustrações: Paula Watson
(sobre esboços do autor)

Planeta Alce

Campinas: Editora Komedi, 2007.

24 p.

ISBN: 85-7582-267-5

Editor: *Sérgio Vale*
Coordenador do Projeto: *Marcos Paulo de Moraes*
Gerente de Vendas: *Sandro Celestino de Araújo*
Coordenadora de Produção: *Ana Cláudia Martins de Figueiredo*
Diagramação e capa: *Marilissa Mota*
Revisão: *Katia Rossini*

Projeto e Produção
Editora Komedi
Rua Álvares Machado, 460, 3º andar
13013-070 Centro – Campinas – SP
Tel./fax: (19) 3234.4864
www.komedi.com.br
e-mail: editora@komedi.com.br

Realização

3S Projetos
Rua Pe. Vieira, 674
13015-301 – Cambuí – Campinas – SP
www.3sprojetos.com.br

Este livro é dedicado, pelos mais diversos méritos,
a Lucelene, Ana, Silvânia, Mônica e Heloisa.
Equipe Komedi e Marcos Paulo.

Jorge Fernando dos Santos, José Louzeiro, Gilson Rebello, Massao Ohno, Jiro Takahashi, Ziraldo e Kiyo.

2007
Impresso no Brasil

No planeta **Alce**,
um lado era sempre
noite e o outro,
sempre dia.

E, quando
o Alce *corria*,
era **noite**
e era **dia**!

Relógio, o Alce **não** tinha,
pois as horas ele mesmo fazia,
ficava um pouco
no lado da noite
e, quando queria,
vinha pro lado do dia.

Num lado,
ele almoçava,
no outro, jantava.

Num lado *brincava,*
no outro,
sonhava e dormia.

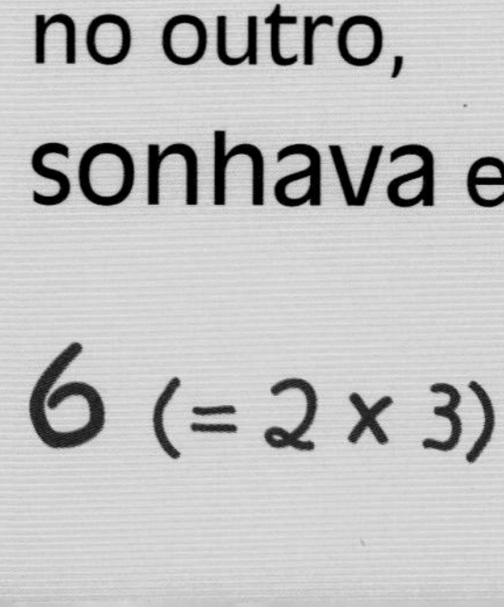

O Alce adorava jogar futebol,
porque **seu** planeta
tinha a forma de uma bola.

Todo dia, ele tomava leite,
porque **seu** planeta
parecia uma rosquinha.

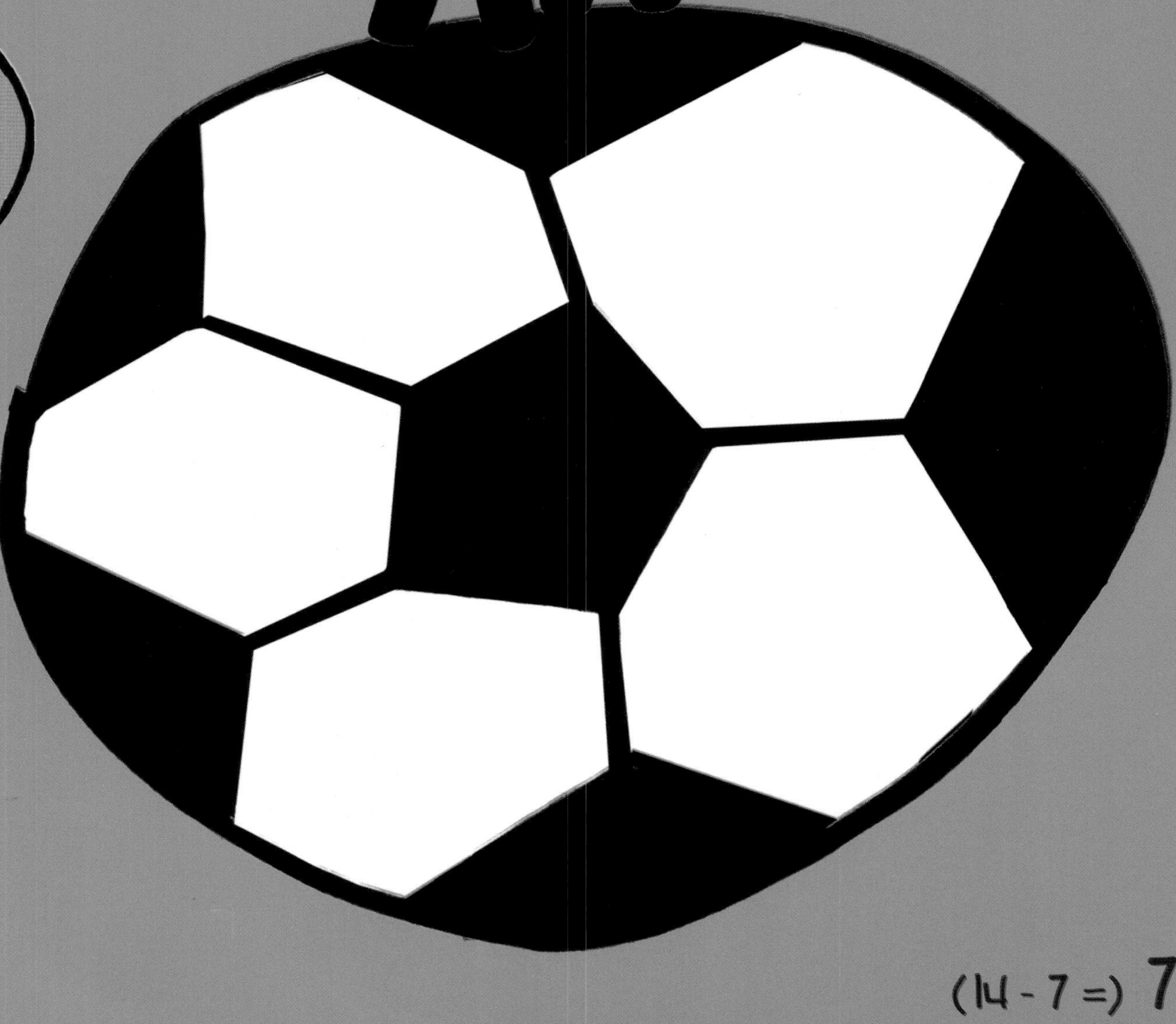

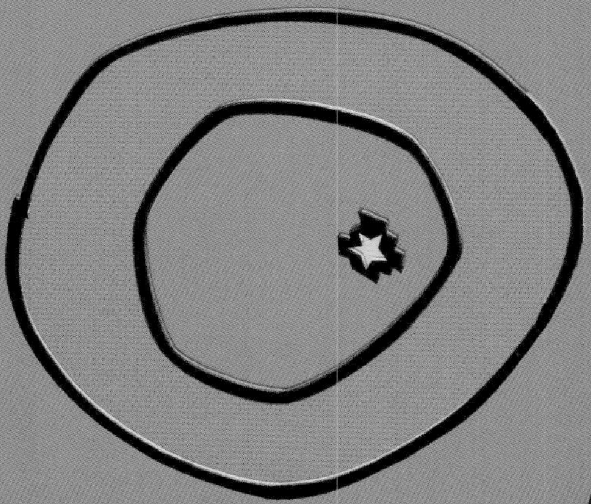

Ele até queria voar;
para ele, seu *planeta*
era um balão!

É... esse Alce era mesmo
um grande sujeito!

Ele era maior do que
seu planeta.

E, quando pulava, ia tão
alto quanto as *estrelas*!

Era tão esperto que até
dava nó em rabo de cometa.

Era *mais rápido* que
estrela cadente *riscando* o céu.

No planeta Alce,
um lado era sempre noite e
o outro, sempre dia.

E, qualquer um notava,
ali vivia um Alce **feliz.**

Um dia, **caiu** do céu
um estranho cometa.
O Alce gritou e fez careta:

"Acudam,
estão invadindo meu planeta!"

Com cuidado,
o Alce foi encontrar
aquela criatura.
E, depois de examiná-lo,
espantou-se com sua figura.

Primeiro, o tal sujeito o olhou com
jeito de "o que que foi?"

Depois disse: "Olá, meu nome é Boi!"

Seus chifres eram
pequenininhos de dar pena.
O corpo era gordão,

O coitado tinha cara de bobão!

O Boi foi até o lado da noite,
devagar, devagarinho.
E, lá, caiu no maior soninho...

O Boi dormiu, dormiu e dormiu.
O Alce pensou:
"Acorda logo, bicho feio, e
volte para o lugar de **onde** veio."

(É que o Alce não estava muito satisfeito.)

O Boi acordou e disse:

"volto **não**! Agora,
minha casa é aqui!"

E antes que o Alce *chiasse*,
foi logo contando sua história.

Vim do planeta **Boi**,
onde um lado é *sempre* dia
e o outro também.

Brincadeira tem de **montão**,
mas na **hora** do sono,
a noite *não vem*.

Um dia, pensei comigo:
"Boizinho, esse planeta é
bom para gente sapeca.
Vê se acha **outro** pra tirar sua soneca!"

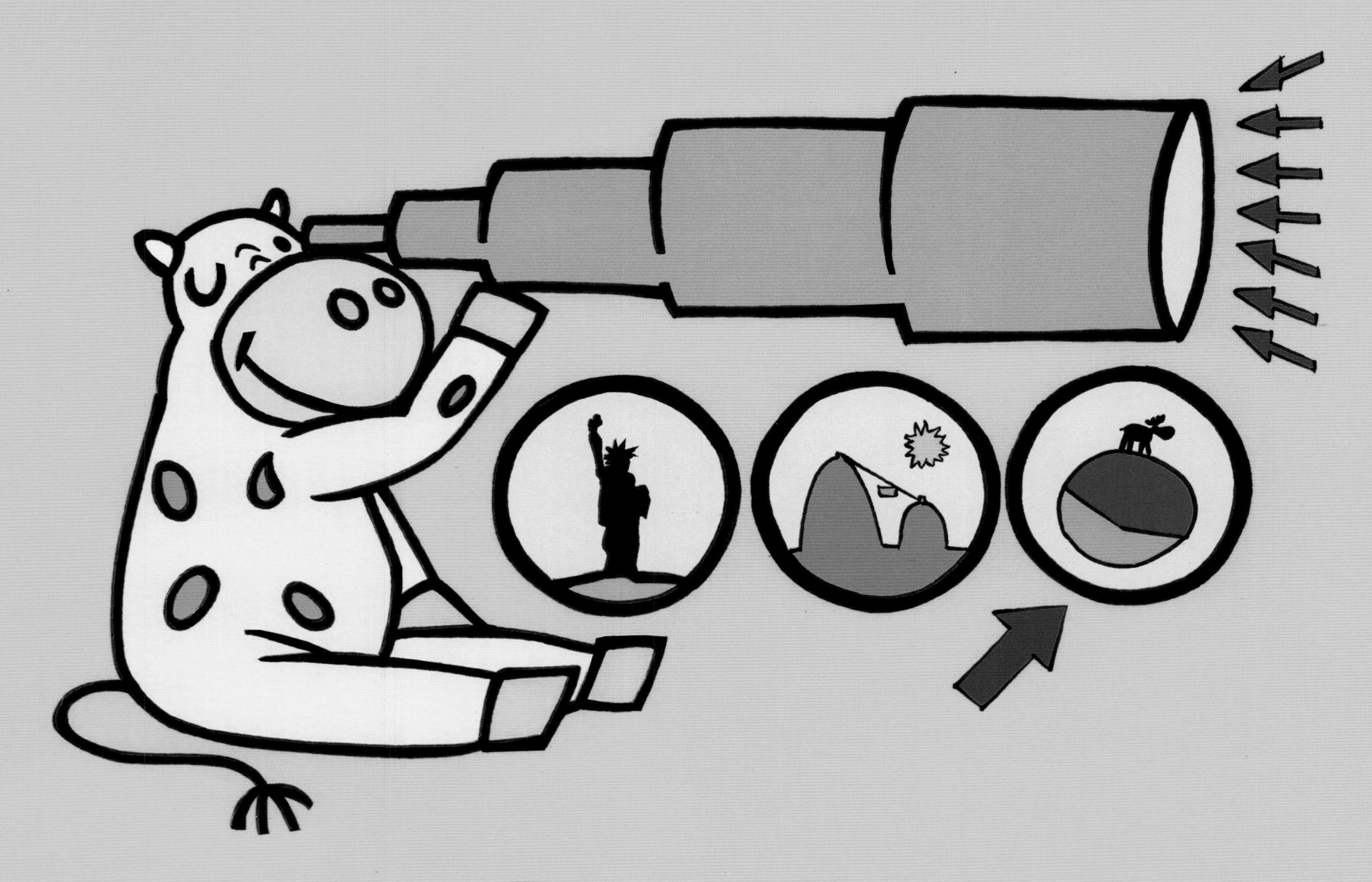

Examinei todo o universo com minha luneta,
E adivinhe que lugar bom encontrei?
O seu planeta!

Costurei um *pára-quedas*
e esperei um vento **forte**.
Então, dei um salto com este norte.

"Escute, seu Alce,
não quero incomodar.
Deixe-me ficar *uns dias*
só para tirar minhas **sonecas**."

Enquanto o Boi estava de **visita**,
o Alce viu que ele era um
grande artista.

Não era à toa, afinal
o planeta Boi parecia um quadro!

O Boi gostava de ler e
sabia *contar* histórias,
porque seu planeta era igual a
um **livro**.

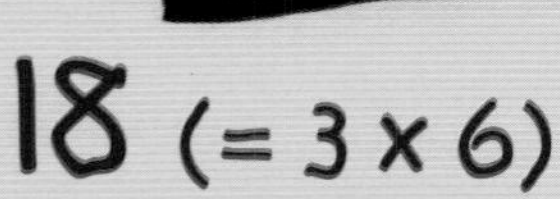

Ele também gostava de **leite**
e tinha uma fome adoidada,
já que seu planeta tinha a forma
de uma torrada.

Até na matemática o Boizinho
era craque!,
seu planeta era igual
a uma calculadora.

Nossa! Esse Boi era mesmo o **maior**.

Ele era mais **alto** que uma montanha.

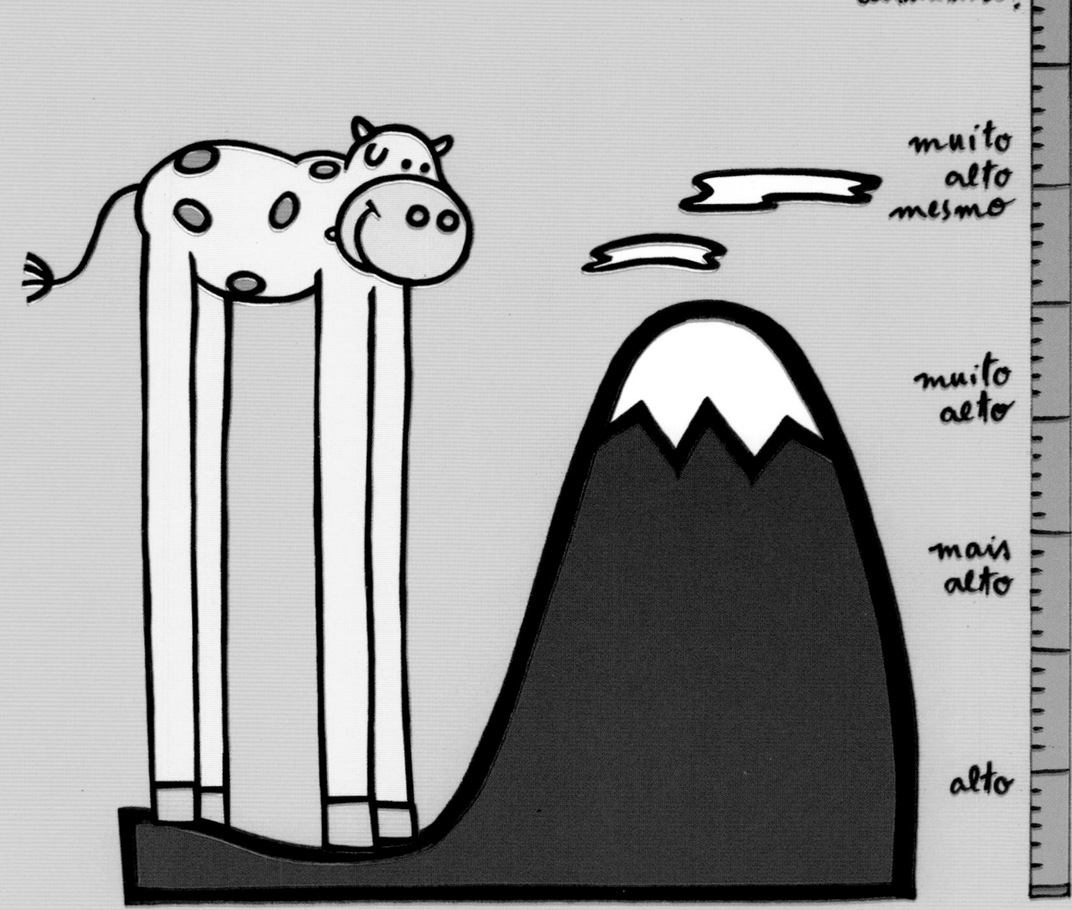

O Boi era mais **inteligente** e **doido** que cientista maluco.

Puxa! Ele era mais **forte** que todo o universo!

Um dia,
o Boi pegou seu
pára-quedas
e esperou o vento
mais forte para voltar.

"*Escute*, Alce.
Não quero
mais incomodar."

"Nada disso, Boi.
Agora, meu planeta
também pode ser
sua casa."

No planeta **Alce**, *sempre* viveu um Alce feliz.

E, se o planeta já era **bom**,
está ainda melhor, isso *eu digo*,
porque nada é melhor
do que ter um

grande amigo!

O desenho desta página foi feito em "parceria" pelo Boi e pelo Alce (O Boi disse que o Alce não ficou muito parecido).

"O futuro pertence àqueles que **acreditam** na beleza de seus sonhos."

Eleanor Roosevelt

"Nada a acrescentar."

Alce

"Prá mim, tá bom."

Boi